Scéal faoi chroíthe leáite
agus cairdeas

Teach
an Oighir

Údar agus maisitheoir:
Aoife Valley

Cois Life Teoranta
Baile Átha Cliath

Tá Cois Life buíoch de Bhord na Leabhar Gaeilge (Foras na Gaeilge)
agus den Chomhairle Ealaíon as a gcúnamh.
An chéad chló 2009 © Aoife Valley
ISBN 978-1-901176-92-6
Léaráidí: Aoife Valley
Clúdach agus dearadh: Alan Keogh
Clódóirí: Nicholson and Bass
www.coislife.ie

Fadó, fadó, bhí cailín óg darbh ainm Sarah ina cónaí i saol a bhí lán leac oighir.

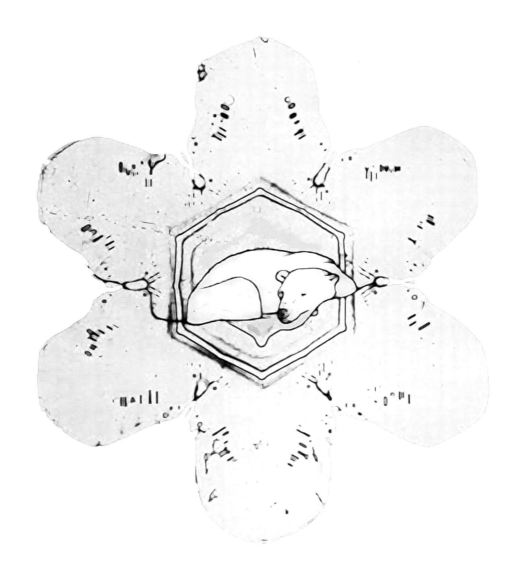

An Béar Bán an t-aon chara a bhí ag Sarah agus thugadh sé cuairt uirthi uair sa bhliain. Nuair a thug an Béar Bán cuairt ar Sarah, bhí dúil aici luí go sócúlach ina chuid fionnaidh agus dul a chodladh ag éisteacht le preabadh a chroí.

Bliain amháin níor tháinig a cara, an Béar Bán,
ar cuairt agus bhí croí Sarah briste.

Shuigh sí ag amharc amach fuinneog an oighir gach
lá ag fanacht leis, ach níor tháinig sé.

Ansin, lá amháin, agus í amuigh ag imirt le bratóga beaga sneachta, chonaic Sarah cruth i bhfad uaithi. Bhí sé ag éirí níos mó agus é ag teacht ina treo.

Tar éis tamaill d'aithin sí gur gasúr óg a bhí ann. Bhí cóta mór fionnaidh air agus aoibh an gháire ar a aghaidh.

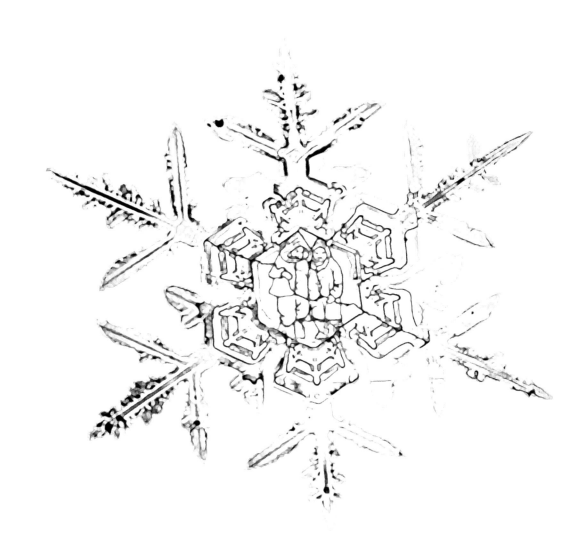

Bhí an gasúr fuar.

'Tar isteach i dTeach an Oighir agus bíodh deoch the agat a chuirfidh teas faoi do chroí,' arsa Sarah.

D'fhan sé léi ar feadh ceithre lá agus ceithre oíche.
Chodail sí ar a chóta fionnaidh gach oíche.
Bhí Sarah sona sásta cara a bheith aici le comhrá
agus le súgradh léi.

Ar an gcúigiú lá dúirt an gasúr go raibh air imeacht.

'Is taistealaí mé agus ní thiocfaidh liom fanacht in áit amháin níos faide ná ceithre lá,' a dúirt sé. 'Caithfidh mé imeacht. An dtiocfaidh tú in éineacht liom?'

'Chronóinn Teach an Oighir go mór agus b'fhearr liom fanacht go dtiocfaidh mo chara An Béar Bán ar ais,' arsa Sarah.

Mar sin thug an gasúr croí isteach do Sarah agus d'fhág sé slán aici.

Choinnigh sé air ag siúl go dtí go raibh sé ina chruth beag bídeach ag bun na spéire arís.

Bhí sé ag éirí níos lú agus níos lú agus é ag imeacht.

Bhí Sarah iontach brónach.

D'fhan sí i dTeach an Oighir ar feadh dhá lá iomlána agus chaoin sí uisce a cinn.

'Féach,' arsa Sarah léi féin ar an tríú lá. 'Tá oighear an tí á leá ag mo chuid deora teo. Cad a dhéanfaidh mé in aon chor?'

Chuala sí trup ag an doras...

An Béar Bán a bhí ann. Bhí a cara ar ais!

'Tá teaghlach úr agam, a Sarah. Chas mé le Béar Bán eile, Saoirse, agus tá sí iontach deas. Tá coileáin óga againn le cúram a thabhairt dóibh. Táimid iontach tuirseach agus tháinig mé chun ceist a chur ort. An dtiocfaidh tú linn chun aire a thabhairt do na coileáin agus scíth a thabhairt domsa?'

'Ní rachaidh mé leat mar chronóinn Teach an Oighir
go mór,' arsa Sarah.

Ansin stop sí agus d'amharc sí mórthimpeall.
Bhí iontas uirthi.

'An leáfaidh Teach an Oighir le himeacht aimsire?
Cá mbeidh cónaí orm? Ní bheidh gasúr beag ar bith
agam le himirt liom ná Béar Bán le luí isteach leis,
ná teach le cónaí ann!'

Mar sin phacáil Sarah a cuid éadaigh agus d'imigh sí
lena cara, an Béar Bán. D'amharc sí ar ais go
brónach ar a teach a bhí ag leá ach
bhí sí iontach sásta.

Chaith sí trí lá leis an mBéar Bán agus a theaghlach
ag súgradh i rith an ama.

San oíche bhí sí iontach tuirseach agus luigh sí
isteach leis na coileáin, a gcroíthe ag
preabadh le chéile.

Ar an gceathrú lá scairt ceann de na coileáin,
'Feicim cruth ag bun na spéire!'

Rith an líon tí agus an cailín óg go bhfeicfidís cad é a
bhí ann.

D'aithin Sarah láithreach bonn é. 'Tá an gasúr ar ais.'
Bhí sí thar a bheith sásta.

Anois, ó bhí Teach an Oighir fágtha aici, agus a cara,
an Béar Bán, sábháilte, bhí sí ábalta imeacht.

Phacáil sí a cuid éadaigh agus d'fhág sí
slán ag a cairde.

Shiúil Sarah agus an gasúr le chéile taobh le taobh.

Bhí siad sona sásta agus aoibh an gháire orthu.

Thaistil siad ar fud an domhain. Bhí am ar dóigh acu
agus rinne siad mórán cairde úra.

Aoife Valley a scríobh agus a mhaisigh an leabhar seo. Rugadh agus tógadh i dTuaisceart Éireann í. Rinne sí staidéar sa mhínealaín i Sasana agus i mBaile Átha Cliath agus chaith sí roinnt blianta ag obair i mbun na n-ealaíon pobail sa Tuaisceart agus i mBaile Átha Cliath. Tá cuid mhór taistil déanta aici i Meiriceá Theas, san Astráil agus san Áis. Scríobh sí Teach an Oighir, a céad scéal do leanaí, sa Téalainn. Faoi láthair tá sí ag obair agus tá cónaí uirthi in Gaia House in Devon mar a bhfuil sí fós ag scríobh agus ag taispeáint a cuid oibre. Tá sonraí breise ar www.aoifev.com.